APPRENTIS LECTEURS
DANS UNE MINUTE, MAMAN!

Simone T. ~~
Illustrations de
Texte français de Dom
SA~

Éditions
SCHOLASTIC

À Alan et Michal Reid,
et tous les autres petits Terps qui suivent.
Je vous aime.

— S.T.R.

Pour ma merveilleuse femme Lisa
et nos trois chats espiègles
— L.W.

Catalogage avant publication de Bibliothèque
et Archives Canada

Ribke, Simone T
Dans une minute, maman! / Simone T. Ribke;
illustrations de Lee White;
texte français de Dominique Chichera.

(Apprentis lecteurs)
Traduction de : I'll Do It Later.
Niveau d'intérêt selon l'âge : Pour enfants de 3 à 6 ans.

ISBN 0-439-94190-3

I. White, Lee, 1970- II. Chichera, Dominique
III. Titre. IV. Collection.

PZ23.R494Dan 2006   j813'.6   C2006-903210-6

Édition publiée par les Éditions Scholastic,
604, rue King Ouest, Toronto (Ontario) M5V 1E1.

5 4 3 2 1   Imprimé au Canada   06 07 08 09

« Dans une minute, maman! »
répond toujours Maxine.

— Maxine, peux-tu ranger ta chambre? demande maman. Ramasse ton avion, ton ballon et ton coffret à bijoux.
— Dans une minute, maman! répond Maxine.

— Maxine, peux-tu ramasser les feuilles dans la cour?

— Dans une minute, maman! répond Maxine.

— Maxine, n'oublie pas de mettre
des graines dans la cage de Cui-Cui.
— Dans une minute, maman!
répond Maxine.

— Maxine, peux-tu nettoyer
ces traces boueuses?
— Dans une minute, maman!
répond Maxine.

— Maxine, peux-tu placer
tes livres sur la tablette?

— Dans une minute, maman!
répond Maxine.

— Maxine, range ton sac à dos, s'il te plaît.

14

— Dans une minute, maman!
répond Maxine.

— Maxine, il est l'heure
de faire tes devoirs.

— Dans une minute, maman!
répond Maxine.

— Maxine, peux-tu
aller chercher le courrier
dans la boîte aux lettres?
— Dans une minute, maman!
répond Maxine.

— Maman, je vais faire
du patin, dit Maxine.

— Tu ne vas nulle part.
Tu pourras sortir seulement
lorsque tu auras fait tout
ton travail, répond maman.

Maxine se dépêche d'aller
ranger sa chambre.

Elle range son sac à dos.

Elle range aussi ses livres.

Elle nettoie le plancher.

Elle ramasse
les feuilles.

Elle fait aussi ses devoirs.

— C'est l'heure d'aller te
coucher, Maxine, dit maman.
— J'y vais tout de suite,
répond Maxine.

LISTE DE MOTS

à	des	Maxine	sac
aller	devoirs	mettre	se
auras	dit	minute	ses
aussi	dos	ne	seulement
aux	du	nettoie	son
avion	elle	nettoyer	sortir
ballon	est	nulle	suite
bijoux	et	oublie	sur
boîte	faire	part	ta
boueuses	fait	pas	tablette
cage	feuilles	patin	te
ces	graines	peux	tes
chambre	heure	placer	ton
chercher	il	plaît	toujours
coffret	je	plancher	tout
coucher	la	pourras	traces
cour	le	ramasse	travail
courrier	les	ramasser	tu
Cui-Cui	lettres	range	une
dans	livres	ranger	vais
de	lorsque	répond	vas
demande	maman	sa	y
dépêche			